Oye, hormiguita

Oye, hormiguita

Phillip y Hannah Hoose

Ilustrado por Debbie Tilley

SCHOLASTIC INC.
New York Toronto London Auckland Sydney
Mexico City New Delhi Hong Kong Buenos Aires

NIÑO: Oye, hormiguita, que estás allá abajo.
¿Me escuchas? Contesta y dime algo.
¿Ves este zapato? ¿Lo estás viendo bien?
Ahora va a dejarte más plana que un papel.

HORMIGA: ¡Por favor, no me aplastes, no seas tan cruel!
Cambia de opinión, piénsalo otra vez.
Hoy llevo a mi casa migas de un pastel.
Por favor, te ruego, no bajes el pie.

NIÑO: Todo el mundo sabe que no sientes nada.
Eres tan pequeña que ni veo tu cara.
Yo soy tan grandote y tú tan chiquita,
no creo que te duela ni una pizquita.

HORMIGA: Tú eres un gigante y por más que te diga
nunca entenderás lo que es ser hormiga.
Acércate un poco y entonces verás
que nos parecemos y esa es la verdad.

NIÑO: ¿Pero, tú estas loca? ¿Tú y yo, parecernos?
Yo tengo papás y un hermano pequeño.

Tú eres sólo un punto que anda por ahí.
A nadie le importa que te aplaste aquí.
LAS Aventuras de SuperNiño

HORMIGA: ¡Cuánto te equivocas, mi amigo gigante!

Todos necesitan mi ayuda constante.

Trabajo en el nido y cuido a los bebés.

No debes aplastarme con tu enorme pie.

NIÑO: Pues mi mamá dice que son espantosas
y que en la merienda se llevan las cosas.
Nos roban las papas y las migas de pan.
Por ser una ladrona, te voy a aplastar.

HORMIGA: ¡Yo no soy ladrona! ¡Menuda mentira!

Es que las hormigas necesitan migas.

Una papa frita da para un montón.

Por favor, no me aplastes con un pisotón.

NIÑO: Pero si a eso juegan todos mis amigos.

Aplastar hormigas es muy divertido.

Me miran y quieren que te aplaste ahora.

Pequeña hormiguita, te llegó la hora.

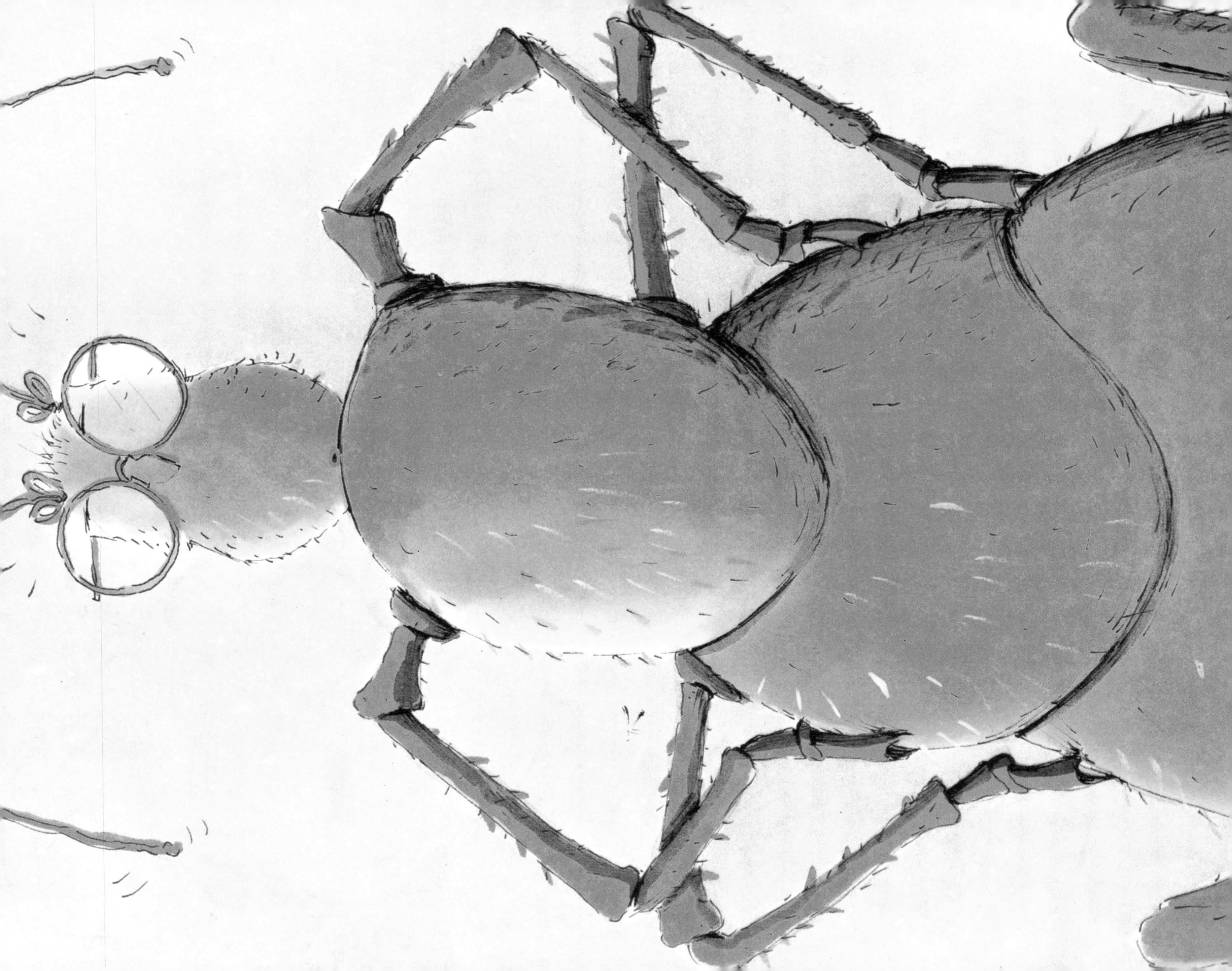

HORMIGA: *Veo que eres fuerte y descomunal.*

Puedes distinguir entre el bien y el mal.

Si yo fuera grande y tú, de mi tamaño,

¿qué te parecería si te hiciera daño?

¿Debería aplastarla o dejarla vivir?

Eso sólo el niño lo puede decidir.

Dejémoslo ahí con el pie alzado.

¿Te parece a ti que debe bajarlo?

A todas las hormigas aplastadas **-H.H.**

A Ruby, con el zapato levantado **-P.H.**

A Ian y su familia, con especial gratitud a Eric
por su idea de "Oye, pequeño ciempiés" **-D.T.**

Originally published in English as *Hey, Little Ant*

Translated by Aurora Hernandez

ISBN 0-439-42488-7

19 18 17 16 15 14 16/0

Printed in the U.S.A. 40

First Scholastic Spanish printing, January 2003

Book design by Susan Van Horn